さあ、いっしょに
日本(にっぽん)の妖怪探検(ようかいたんけん)に
でかけよう！

びっくり迷宮博物館
日本の妖怪をさがせ！

グループ・コロンブス編

WAVE出版

森にかくれすむ妖怪

重なりあってしげる木々の、
奥深い森にかくれすむという妖怪たち。
じっとこちらを見つめているのは、
何妖怪だろう？
きみはどんな妖怪を見つけられるかな？

かまいたち（鎌鼬）
前あしの爪は鎌のようになっていて、切られても気づかないほどするどい。

ばけび（化け火）・〈3体いるぞ〉
小雨がふる夜やくもりの夜にかぎって出るといわれる。

せこ・〈5人いるぞ〉
2〜3さいの子どもの姿をしていて、いたずらが大すき。

べとべとさん
夜道を歩くと、その人の後をいつまでもついてくるという。

やまじじい（山爺）
一つ目で一本あしで、じいさんの姿をしている。やまちち（山父）ともよばれる。

もうりょう（魍魎）
山や水や木や石などから生まれた怪物妖怪で、人を化かす。

オゴメ
木の上で赤ちゃんのような声でなく。姿を人に見せることはないという。

もっと見つけてみよう！

- トカゲが3匹、カラスが2羽、森のなかにいるぞ。
- 木の幹に巻きついている妖怪「ぬれ女」は、どこかな？
- 長い体をしたヘビが2匹いる。舌を出しているのはどっち？
- 頭部に口がある以外は、目も鼻もないヘビのような長い体。妖怪「のづち（野槌）」を見つけよう。

沼にひそむ妖怪

大きな沼は底なしの沼。じっとひそんでいた妖怪たちが、ざわざわとうごきはじめたようだ。不気味に長い舌を出している沼の主は、何だろう？

あめふりこぞう（雨降り小僧）
雨を自由にふらせ、雨のなかをものすごい勢いで走りまわるという。

からかさこぞう（唐傘小僧）
からかさお化けともよばれ、2本あしや1本あしのものがいる。

おおがま（大蝦蟇）
長い年月、沼や池にすみつき、巨大なヒキガエルの姿をしている。

やなぎおんな（柳女）
さわさわとゆれる柳の木の下にあらわれる、子どもをだいた女の妖怪。

てながばばあ（手長婆）
長いうでをした老婆の妖怪。ふだんは水のなかにいて姿を見せない。

かっぱ（河童）〈5匹いるぞ〉
ほぼ日本全国に、その姿をあらわすという。全身がいつもぬれている。

どろたぼう（泥田坊）
全身が泥でできている、一つ目の妖怪。泥のなかにすんでいる。

もっと見つけてみよう！
- 木に糸をはってまちぶせる妖怪「じょろうぐも（女郎蜘蛛）」は、どこかな？
- おおがまとならぶ、池の主妖怪「おおなまず（大鯰）」もいるぞ。
- カブトムシが3匹、ガが5匹いる。どこかな？
- タヌキが3匹、木のかげにいる。「あかんべー」をしているタヌキを見つけよう。

墓場でうごめく妖怪

いつもなら、しーんとしずまりかえった墓場。
しかしこの日、暗い月あかりのもと、
妖怪たちがあつまってきたようだ。

● スタートからゴールまで、墓場迷路を
すすもう。何にであうかな？

ばけぞうり（化け草履）
古い草履が化けた妖怪。ものを大切にしないとあらわれる。

てっそ（鉄鼠）
お坊さんの怨念（恨む思い）から生まれ、ネズミに化けた姿をしている。

ぶらぶら
提灯からベロが出ている妖怪だが、これはキツネが化けたものといわれる。

もっと見つけてみよう！

- たくさんの目がならぶ妖怪「めくらべ（目競）」がいるぞ。どこかな？
- トンボが5匹、コウモリが3匹いる。どこだろう？
- とおく林のむこうにいるのは、巨人妖怪「ダイダラボッチ」だ。
- ネズミとヘビを見つけよう。何匹ずついるかな？

ふたくちおんな（二口女）
姿かたちは女の人だが、後頭部に大きなもう一つの口がある。

がき（餓鬼）〈4人いるぞ〉
いつもお腹をすかし、飢えと渇きに苦しむ姿をした妖怪。

ころうか（古籠火）
石灯籠が火の化け物になったもの。火をはいて、灯りをともす。

ねこまた（猫又）
猫が年をとると、尾が二つにわかれた化け猫になるという。

学校にあらわれる妖怪

教室で、妖怪1年生にぬらりひょん先生が教えるのは「妖怪のすすめ」。右と左の絵をよく見くらべると、ちがうところがあるぞ。どこかな？

● ちがうところは12かしょ。見つけよう。

あかなめ（垢嘗）
子どもの姿をしていて長い舌をもつ。この舌で、体のあかをなめるという。

びんぼうがみ（貧乏神）
人にとりついて、その人や家族を貧乏にする神さま。

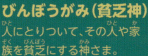

コロボックル
アイヌの人たちに伝わる小人の妖精。アイヌのことばで、「蕗の葉の下の人」という意味。

そでひきこぞう（袖引き小僧）
夜道などで人の着物の袖をひく、いたずら好きなかわいい妖怪。

ひとつめこぞう（一つ目小僧）
坊主頭で、ひたいの真ん中に目が一つだけある妖怪。

ざしきわらし（座敷童）
座敷や蔵にすむ神さまといわれ、見た者には幸せがおとずれるという。

くらぼっこ（倉ぼっこ）
子どもほどの背丈で毛むくじゃら。倉の守り神として伝えられている。

もっと見つけてみよう！
- 顔や体が、ヒキガエルににている妖怪「センポクカンポク」は、どこ？
- 川などの水辺にあらわれるという女妖怪「かわひめ（川姫）」がいるぞ。
- えんぴつでノートに文字をかいているのは、だれとだれ？
- おり紙でおったものは、飛行機ともう一つは何？

デパートにあつまる妖怪

お客さんがいなくなった夜のデパートが、わいわいがやがやと、にぎわっている。妖怪たちがやってきておもちゃと遊びはじめたようだ。

やこうさん（夜行さん）
夜にあらわれで、であった人をなぐったり、けとばしたりするという。

しろぼうず（白坊主）
あしも目も口もない、のっぺらぼうの白坊主妖怪。夜道にあらわれる。

いったんもめん（一反木綿）
体は、およそ一反（長さ約10.6メートル）。夕ぐれにひらひら飛んで人をおそう。

すねこすり
イヌの姿をしている。雨のふる夜にあらわれ、歩く人の足をこすってじゃまをする。

いぬがみ（犬神）
呪う力が強く、とりついた相手をその力で殺してしまうという。

さだ
山にすむ妖怪。とりつかれると、急に熱が出たり、気分が悪くなる。

ヒバゴン〈2頭いるぞ〉
直立二足歩行をするサルの姿をした獣人。未確認生物の一つ。

もっと見つけてみよう！
- マネキン人形のかげで、縁の下にすむ妖怪「けっかい（血塊）」がゆかをはっている。
- おもちゃの棚の奥に、納戸にすみつく妖怪「なんどばばあ（納戸婆）」がいる。
- カーテンの後ろに、海にあらわれる小さな妖怪「なみこぞう（浪小僧）」がかくれているぞ。
- ラッパとシンバルをならしている、ゴリラのおもちゃを二つ見つけよう。

廃墟のあやしい影妖怪

古い工場の暗いへやで、楽しそうにさわぐのは妖怪「せこ」たちだ。そして、その後ろには、あやしい黒い影がうごめいているぞ。

ミンツチ〈2匹いるぞ〉
アイヌの人々に伝わる妖怪。川や池、湖にすみ、災いをひきおこす。

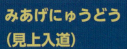
みあげにゅうどう（見上入道）
夜中に坂道をのぼる人の前にあらわれ、見上げれば見上げるほど巨大な入道の姿になる。

けうけげん（毛羽毛現）
人のいないときにあらわれる。めったにであうことができないといわれる。

きょうこつ（狂骨）
がい骨に白衣をまとい、ゆうれいのように井戸のなかから姿をあらわすという。

てあらいおに（手洗い鬼）
ダイダラボッチににていて、長いあしで山をまたぎ、海で手を洗う巨人。

あしながてなが（足長手長）
あしの長い妖怪と手の長い妖怪がいっしょになった、巨人妖怪。

🕷 **もっと見つけてみよう！**
- ネズミのような妖怪「てっそ（鉄鼠）」の影があるぞ。
- ガとネズミとコウモリを見つけよう。全部で何匹いるかな？
- 妖怪「きつねび（狐火）」が、部屋のようすをうかがっている。
- 「せこ」たちが食べている魚は、何匹？

遊園地にまぎれこむ妖怪

メリーゴーランドがまわり、ジェットコースターがスピードをあげてすべりおちる。おや、よく見ると、たくさんの人々のなかに、妖怪たちがまぎれこんでいる!

やまうば(山姥)
山ふかくにすみ、人をおそって食べるという。

ひょうすべ(兵主部)
川や池などの水辺にすみ、つられていっしょに笑うと、死んでしまうという。

よぶこ(呼子)
山にすむ妖怪。「ヤッホー」などと山彦の声をだすという。

あぶらすまし(油すまし)
油をぬすんだ人の霊が化けた妖怪。すました顔をしているので、この名がついた。

さとり(覚)
人の考えがわかり、心をみすかす力があるといわれる妖怪。

やまおとこ(山男)
山奥にすむ巨人妖怪。荷物をはこんだり、仕事をてつだったりする。

くちさけおんな(口裂け女)
大きく口がさけた、女の妖怪。現代妖怪の一つ。

🕷 **もっと見つけてみよう!**
- メリーゴーランドの近くに、つえをついて歩く「やどうかい(夜道怪)」がいる。
- ジェットコースターに「すなかけばばあ(砂かけ婆)」が、のっているぞ。
- 風船は全部で何個あるかな?
- さかだちする、いたずら好きな小鬼妖怪「あまのじゃく(天邪鬼)」はどこ?

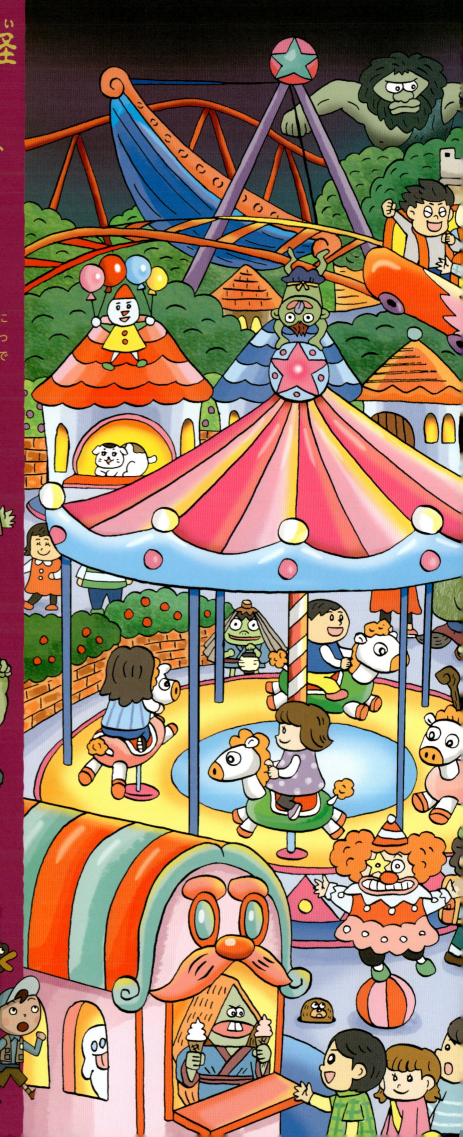

美術館でささやく妖怪

ここは絵画や彫刻を展示する美術館。
毎日おおぜいの人たちがおとずれる。
小学生の一団も先生につきそわれて
やってきた。でも、なにかふしぎな
空気がただよっているみたい…。

こなきじじい（子啼爺）
泣いているのをかわいそうに思って
だきあげると、しだいに重くなり、
だきついてくるという。

なまはげ（生剝）
大みそかに家々をまわり、家族の
しあわせを祈る神の使い。

**ひとつめこぞう
（一つ目小僧）〈3人いるぞ〉**
ひたいの真ん中に大きな目がある、
子どもの姿をした妖怪。

のっぺらぼう
顔には目・鼻・口がないという妖怪。人をおどろかすのが好き。

ダイダラボッチ
国づくりの神さまとよばれ、巨大な体で、山や川、湖などをつくったという。

うしおに（牛鬼）
顔が牛で体が鬼。どうもうで人を食い殺すという。

いちもくれん（一目連）〈2体いるぞ〉
風の神さま。あらわれた場所は、はげしい暴風雨になるという。

🕷 もっと見つけてみよう！

- 壁にかかった真ん中の絵。つぼ？ 人の顔？ どっちに見えるかな？
- 額からはみだした妖怪「ねぶとり（寝肥）」は、どこ？
- クモとネズミは何匹いるかな？
- ネコが2匹、かっぱ（河童）が3匹いるぞ。見つけよう。

祭りにやってきた妖怪

夏の風物詩、盆おどり。
たいこや笛の音、縁日のにぎやかな
声にまぎれて、ほら、いるいる
いろんな妖怪たちが…。
知っている妖怪はいるかな？

ゆきおんな（雪女）
「ゆきむすめ」などともよばれ、冷たい息をふきかけて男を凍らせるという。

ぬらりひょん
多く目撃されるものの、実は正体不明。「妖怪の総大将」といわれる。

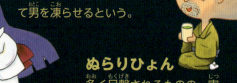

いそがし
いつもいそがしく、動きまわっていないとおちつかないという妖怪。

やまわろ〈山童〉
河童が山にうつりすんだといわれる妖怪。人のことばを話すともいう。

キジムナー〈3人いるぞ〉
沖縄にすむ古木の精霊。魚などを食べ、跳びはねるように歩くという。

ぬえ〈鵺〉
顔はサル、胴体はトラ、尾はヘビの姿をした妖怪。

うみにょうぼう〈海女房〉
人のような顔、全身にはうろこ、指のあいだに水かきがある半魚人の姿をしている。

もっと見つけてみよう！

- 「トイレの花子さん」発見。ヒントはトイレ。
- 長い木綿の「いったんもめん（一反木綿）」と、祭りのうちわをもった「しろぼうず（白坊主）」をさがそう。
- おやおや、「かっぱ（河童）」がうまくかくれているぞ。どこだろう？
- 長い首でおどる「ろくろ首」は、どこだろう。

妖怪をさがせ！のこたえ

◎迷路のこたえ
緑の線のように、スタートからゴールまですすむ。

◆森にかくれすむ妖怪（4・5ページ）

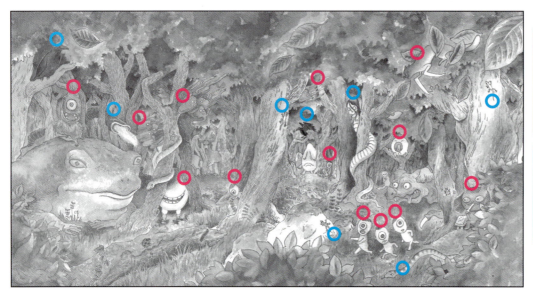

◎見つける妖怪のこたえ
かまいたち・ばけび（3）・せこ（5）
べとべとさん・やまじじい
もうりょう・オゴメ
　　　　　　○をつけたところ。

◎もっと見つけてみよう！のこたえ
トカゲ（3）・カラス（2）
ぬれ女・ヘビ・のづち
　　　　　　○をつけたところ。

◆沼にひそむ妖怪（6・7ページ）

◎見つける妖怪のこたえ
あめふりこぞう・からかさこぞう
おおがま・てながばばあ
やなぎおんな・かっぱ（5）
どろたぼう　○をつけたところ。

◎もっと見つけてみよう！のこたえ
じょろうぐも・おおなまず
カブトムシ（3）・ガ（5）・タヌキ
　　　　　　○をつけたところ。

◆ 墓場でうごめく妖怪（8・9ページ）

◎ 迷路のこたえ
緑の線のように、ゴールまですすむ。

◎ 見つける妖怪のこたえ
ばけぞうり・てっそ・ぶらぶら
ふたくちおんな・がき（4）・ころうか・
ねこまた　　○をつけたところ。

◎ もっと見つけてみよう！のこたえ
めくらべ・トンボ（5）・コウモリ（3）・
ダイダラボッチ・ネズミ（2）・ヘビ（3）
　　　　○をつけたところ。

◆ 学校にあらわれる妖怪（10・11ページ）

◎ まちがいさがしのこたえ
○をつけたところ。

◎ 見つける妖怪のこたえ
あかなめ・びんぼうがみ・コロボックル・
そでひきこぞう・ざしきわらし・
ひとつめこぞう・くらぼっこ
　　　　○をつけたところ。

◎ もっと見つけてみよう！のこたえ
センポクカンポク・かわひめ・コロボックル・
ひとつめこぞう　○をつけたところ。
＊ノートに文字をかいているのは、コロボックル
とひとつめこぞう。おり紙は、飛行機と鶴。

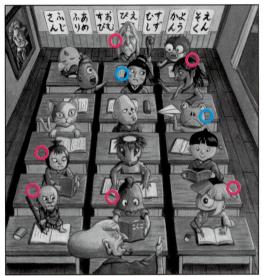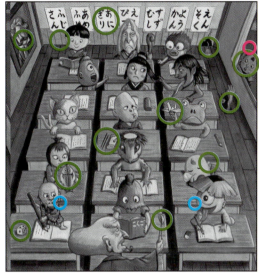

◆ デパートにあつまる妖怪（12・13ページ）

◎ 見つける妖怪のこたえ
やこうさん・しろぼうず
いったんもめん・すねこすり
いぬがみ・さだ・ヒバゴン（2）
　　　　○をつけたところ。

◎ もっと見つけてみよう！のこたえ
けっかい・なんどばばあ・なみこぞう
ゴリラのおもちゃ（2）
　　　　○をつけたところ。

◆廃墟のあやしい影妖怪(14・15ページ)

◎見つける妖怪のこたえ

ミンツチ(2)・みあげにゅうどう
けうけげん・きょうこつ
てあらいおに・あしながてなが
　　　　　　○をつけたところ。

◎もっと見つけてみよう！のこたえ

てっそ・ガ・ネズミ・コウモリ(2)
きつねび・魚
　　　　　　○をつけたところ。

＊ガとネズミとコウモリは、全部で4匹。
＊食べている魚は、4匹。

◆遊園地にまぎれこむ妖怪(16・17ページ)

◎見つける妖怪のこたえ

やまうば・ひょうすべ
あぶらすまし・よぶこ・さとり
やまおとこ・くちさけおんな
　　　　　　○をつけたところ。

◎もっと見つけてみよう！のこたえ

やどうかい・すなかけばばあ
あまのじゃく・風船
　　　　　　○をつけたところ。

＊風船は、全部で8個。

◆美術館でささやく妖怪(18・19ページ)

◎見つける妖怪のこたえ

こなきじじい・なまはげ
ひとつめこぞう(3)・うしおに
のっぺらぼう・ダイダラボッチ
いちもくれん(2)
　　　　　○をつけたところ。

◎もっと見つけてみよう！のこたえ

ねぶとり・クモ(2)・ネズミ(2)
ネコ(2)・かっぱ(3)
　　　　　○をつけたところ。
＊「ルビンの杯」とよばれるだまし絵は、白いほうは杯に、黒いほうは横顔に見える。

◆祭りにやってきた妖怪(20・21ページ)

◎見つける妖怪のこたえ

ゆきおんな・ぬらりひょん・
いそがし・やまわろ・
キジムナー(3)・ぬえ
うみにょうぼう
　　　　　○をつけたところ。

◎もっと見つけてみよう！のこたえ

トイレの花子さん・いったんもめん・
しろぼうず・かっぱ・ろくろ首
　　　　　○をつけたところ。

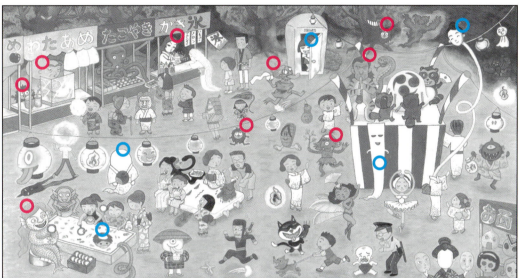

もっと妖怪をさがせ！(32ページ)の　こたえ

1…わいら

2…あずきばばあ(小豆婆)
3…あずきあらい(小豆洗い)

4…かしゃ(火車)　5…のづち(野槌)

6…ガーナムイ

7…ふくろむじな(袋狢)
8…シバテン

9…ふたくちおんな(二口女)

10…とうふこぞう(豆腐小僧)
11…しゅのぼん(朱の盆)

（火車）

うみにょうぼう（海女房）
魚や人を食べてしまう女の妖怪。

鳥取県

兵庫県

すなかけばばあ（砂かけ婆）
木の上から、通る人に砂をかける妖怪。

かわうそ（川獺）
娘さんや子どもに、よく化けてあらわれる。

おとろし
古い神社にすみ、神さまをまもる。

よぶこ（呼子）
声をこだまさせる山彦の妖怪。

めくらべ（目競）
たくさんの目が集まるがいこつ（どくろ）。

のっぺらぼう
巨大な顔をしていて、見る人をおどろかす。

にんぎょ（人魚）
頭は人、胴体は魚。海を荒らし、地震をおこす。

石川県

岡山県

京都府

ろくろ首
首がのびたり、ぬけたりする妖怪。

おしろいばばあ（白粉婆）
雪の中を歩く、白い顔のおばあさん妖怪。

福井県

富山県

すねこすり
夜道を走ると足にまとわりついてくる。

ぬえ（鵺）
頭はサル、体はトラ、尾はヘビの姿をしている。

センポクカンポク
死んだ人の家にあらわれる妖怪。

なんどばばあ（納戸婆）
（納戸）をあけるとあらわれる妖怪。

滋賀県

岐阜県

てっそ（鉄鼠）
死んだお坊さんが、ねずみに変身する。

大阪府

のづち（野槌）
山の中にあらわれ、大きな口でおそう。

うばがび（姥が火）
雨の日にかぎって飛びまわる火の玉。

だいだらぼっち
大きな湖、琵琶湖をつくった大男。

長野県

しろぼうず（白坊主）
「のっぺらぼう」に似ていて、人をおどろかす。

いわなぼうず（岩魚坊主）
川の魚、大岩魚が坊さんに化ける。

やかんづる（薬缶吊る）
夜もおそくに通ると、あらわれる妖怪。

奈良県

山梨県

べとべとさん
夜道を歩くと、後ろからついてくる。

じゃんじゃん火
飛ぶときにじゃんじゃんという音をたてる、あやしい火。

きじょ（鬼女）
人をころして食べる女の妖怪。

あずきあらい（小豆洗い）
音を出しながら、あずきを洗う妖怪。

三重県

愛知県

さとり（覚）
人が思うことを見通すことができる。

まつのせいれい（松の精霊）
お寺の門前の2本の松にやどる精霊。

静岡県

けうけげん（毛羽毛現）
富士山の山小屋などにあらわれる。体は毛だらけ。

和歌山県

ふなだまさま（船玉様）
漁船などの船乗りたちが信じる神。

なみこぞう（浪小僧）
海や川などにあらわれる、小さな妖怪。

ひとつめこぞう（一つ目小僧）
屋敷にあらわれて、いたずらをする子ども妖怪。

（牛鬼）

いちもくれん（一目連）
一つ目をした、風の神さまといわれる。

かみきり（髪切り）
気づかないうちに、かみをばさりと切られてしまう。

どようぼうず（土用坊主）
土用の日に顔をだし、人の顔をひっかく。

神奈川県

やまうば（山姥）
山の中にすみ、人をおそって食べてしまう。

佐賀県

ぬりかべ（塗壁）
夜道を歩いて、行く先に壁をつくる。

いそなで（磯撫で）
夜の海岸にあらわれ、人をなでて海におとすという。

福岡県

ひょうすべ（兵主部）
笑い声につられて笑うと、死んでしまうという。

すいこ（水虎）
大きな河童で、水の中に引きいれる。

山口県

ふなゆうれい（船幽霊）
仲間の漁師を引きいれようと、船をしずめる。

おおがま（大蝦蟇）
虹のような気を出して、さわったものは飲みこまれる。

島根県

かしゃ
お葬式の死んだ人にくる妖怪。

長崎県

いそおんな（磯女）
船をおそい、血をすうという女の妖怪。

ゲドガキのバケモノ
食わすといわれると、食ってしまう化け物。

熊本県

あぶらすまし（油ずまし）
天草の山道にあらわれる妖怪。

やまわろ（山童）
仕事をてつだってくれるという、一つ目の河童妖怪。

大分県

つちぐも（土蜘蛛）
糸で人をからめて、食ってしまう巨大グモ。

宮崎県

まめだぬき（豆狸）
八畳の座敷で、人をもてなすというタヌキ妖怪。

鹿児島県

いったんもめん（一反木綿）
長い体で、人の首にまきつく妖怪。

とうふこぞう（豆腐小僧）
盆に豆腐をのせてやってくる子ども妖怪。

沖縄県

ガーナムイ
湖にすむという巨大怪物。

キジムナー
ガジュマルの老木にすむ木の精。

広島県

ひばごん
比婆山で目撃された、サルに似た妖怪。

くだん（件）
半人半牛の姿をして、人のことばを話し、予言をする。

愛媛県

セコ
子どもの姿でいたずらをする、河童の妖怪。

いぬがみ（犬神）
人につくという犬の霊。

はっぴゃくやだぬき（八百八狸）
808もの子分をしたがえる、タヌキの大親分。

高知県

やまひめ（山姫）
近づく男の血をすう、長い髪の女妖怪。

もうりょう（魍魎）
石などの自然物から生まれた妖怪。

シバテン
芝天狗ともよばれる相撲好きの河童。

香川県

なんど（納戸）にあらわれ

てあらいおに（手洗鬼）
長い足で山をまたぎ、をあらったという巨人。

足まがり
夜道を歩くと、足にからみついてくる。

徳島県

こなきじじい（児啼爺）
赤ん坊の姿をしていて、だくと急に重くなる。

やぎょうさん（夜行さん）
2月の節分の日になると出る、一つ目の鬼。

うしおに
牛と鬼の姿をして、人を食い殺す。

一本だたら
高野山の一本足の

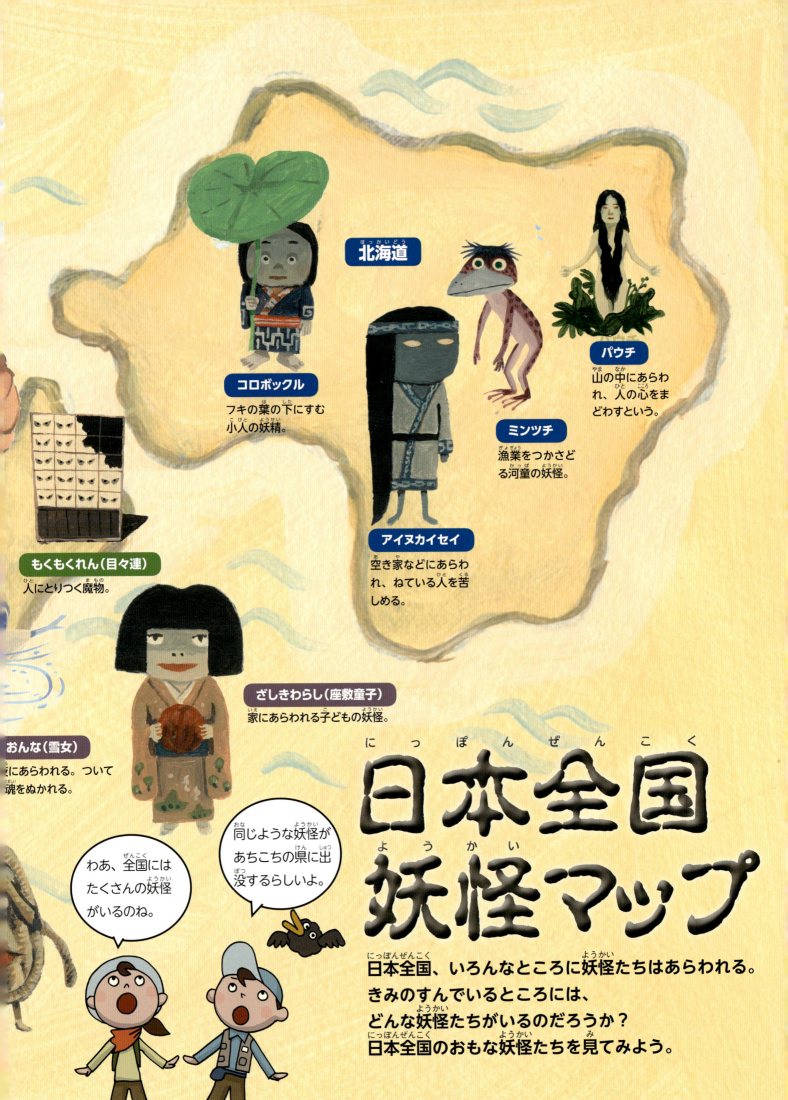

やまおとこ（山男） — 秋田県
仲良くなると、仕事をてつだってくれたりする。

どろたぼう（泥田坊）
田んぼの中からあらわれ、「田をかえせ」とさけぶ。

ころうか（古籠火）
ひとりでに火がともる灯籠の妖怪。

なまはげ（生剥）
なまけ者の皮をはいで食べてしまう鬼。

ねぶとり（寝肥） — 青森県
とりつかれると体が巨大化する。

ふくろむじな（袋狢） — 新潟県
いろいろなものに、化けるのがうまい。

みあげにゅうどう（見上入道）
見上げていると、どんどん大きくなる妖怪。

オボ — 群馬県
歩いていると足にまとわりついてくる。

あまのじゃく（天邪鬼） — 山形県
人と反対のことばかりして、邪魔をする。

じゃこつばばあ（蛇骨婆） — 福島県
ヘビの墓をまもるおばあさん。ヘビを手にもつ。

ねこまた（猫又）
しっぽがふたつにわかれ、お酒をたくさんのむと正体をあらわす。

ゆき（岩手県）
雪の夜…

けっかい（血塊） — 埼玉県
出産する人のところにあらわれ、縁の下から命をうばう。

らいじゅう（雷獣） — 栃木県
落雷とともにあらわれる、けもののような妖怪。

やどうかい（夜道怪）
大きな荷物をせおって、村々を歩きまわる。

どどめき（百々目鬼）
うでにたくさんの目がついた女の妖怪。

あめふりこぞう（雨降り小僧） — 宮城県
雨の神につかえる子どもの姿の妖怪。

ばけぞうり（化け草履）
古くなった草履の妖怪。

いそがし — 東京都
とりつかれると、やたらにいそがしくしてしまう。

てながばばあ（手長婆） — 千葉県
水から長い手をのばして、子どもをおそう。

しゅのぼん（朱の盆） — 茨城県
顔が朱をぬったように赤く、人をおどろかす。

わいら
サイのような姿をして、山の中にあらわれる。

ふたくちおんな（二口女）
後頭部にもう一つ口のある女の妖怪。

あやかし
長いうなぎのような姿で、船をおそう。

もっと妖怪をさがせ！

これらの妖怪は、どこで見かけたかな？前のページにもどって見つけてみよう！こたえは25ページにあるぞ！

1. わいら
2. あずきばばあ（小豆婆）
3. あずきあらい（小豆洗い）
4. かしゃ（火車）
5. のづち（野槌）
6. ガーナムイ
7. ふくろむじな（袋猯）
8. シバテン
9. ふたくちおんな（二口女）
10. とうふこぞう（豆腐小僧）
11. しゅのぼん（朱の盆）

●イラスト
後藤範行(表紙・扉・目次・p26〜31)
かわいち ともこ(p4・5、p18・19)
やまおか ゆか(p6・7、p8・9)
田川秀樹(p10・11、p14・15)
鈴木アツコ(p12・13、p16・17)
はんだ みちこ(p20・21)

●装丁・本文デザイン―坂田良子
●構成・編集――――グループ・コロンブス

●参考資料
『47都道府県!! 妖怪めぐり日本一周』①②③伊藤まさあき/絵(汐文社)
『水木しげるの妖怪地図』水木しげる/著　荒俣宏/監修(平凡社)
『津々浦々「お化け」生息マップ』宮本幸枝/著　村上健司/監修(技術評論社)
『ゲゲゲの鬼太郎妖怪ファイル』水木しげる/著(講談社)
『図説日本妖怪大全』水木しげる/著(講談社)
『美と恐怖とユーモア　幽霊・妖怪画大全集』福岡市博物館/編集(幽霊・妖怪画大全集実行委員会)

びっくり迷宮博物館
日本の妖怪をさがせ!

2018年12月25日　　　第1版第1刷発行
2019年9月20日　　　第1版第2刷発行

編　著―グループ・コロンブス
発行所―WAVE出版
　　　　〒102-0074
　　　　東京都千代田区九段南3-9-12
　　　　TEL 03-3261-3713
　　　　FAX 03-3261-3823
　　　　振替　00100-7-366376
　　　　E-mail : info@wave-publishers.co.jp
　　　　http://www.wave-publishers.co.jp

印刷・製本…図書印刷株式会社

©WAVE Publishers Co.,Ltd. 2018　Printed in Japan
NDC913　32p　30cm　ISBN978-4-86621-184-8

落丁・乱丁本は小社送料負担にてお取りかえいたします。
本書の一部、あるいは全部を無断で複写・複製することは、法律で認められた場合を除き、禁じられています。また、購入者以外の第三者によるデジタル化はいかなる場合でも一切認められませんので、ご注意ください。